· 中国名家经典原创图画书 ·

婴 宁

沈启鹏/绘　　　简 平/文

清华大学出版社

北 京

　　山东莒县有个小伙子，名叫王子服，聪慧英俊，由于父亲去世得早，所以母亲格外疼爱他，平时不许他到荒郊野外去游玩。上元节那天，表哥吴生邀他一块出去玩，母亲见有表哥陪他，也就同意了。

　　二人才走出村外，吴生家的仆人赶来说家中有事，要他回去，就把王子服一个人给留下了。郊外游客如云，其中有个女孩手里拿着一枝梅花，满面笑容，看得王子服不由得停住了脚步。

　　女孩见有人看她，便对身边的婢女小荣说："这小伙子两眼发光，贼溜溜的！"她将梅花丢在地上，说说笑笑地走远了。

　　王子服拾起那枝梅花，却不见了女孩，心里很是怅然，像丢了魂似的，闷闷不乐地返回家去。

　　到家后，王子服把梅花藏在枕头下面，耷拉着脑袋躺下就睡，不说话也不吃东西。母亲不知道他生了什么病，非常担心。

　　王子服一天天地消瘦下去，母亲请来医生为他诊治，也不见好转。那天，吴生来看他，问起病由，王子服流着眼泪说出了实情。吴生心生怜悯，笑着说："这事不难，我帮你打听一下是谁家的姑娘，把她娶回家来不就好了？"

　　这下，王子服的心情开朗起来。几天后，吴生又来了，犹豫了一下，才告诉他说："我以为是谁家姑娘，原来是我姑母的女儿，你要叫她母亲姨妈呢，我打听过了，她还没订婚呢！"王子服高兴得眉开眼笑，再三嘱托吴生。吴生支支吾吾地答应了。

　　吴生走后一直没有回音，王子服写信去请他来，他也不来。王子服很是郁闷。母亲怕他再犯病，说要给他提亲，可他摇头说不同意。

　　一天，王子服心想，吴生曾跟他说过那女孩家离这儿有三十里地，也不算太远，何必非得求他。于是，他把梅花揣在怀里，一个人往南山寻去。

　　只见山谷中隐约有个村落，村里房舍不多，朝北有一户人家，门前垂柳依依，墙内桃花杏花开得格外繁盛，夹着修长的翠竹，野鸟在枝头鸣叫。王子服不敢贸然进去，先在对门的一块大石头上坐下休息。

　　忽然，听得墙内有个女子在唤："小荣！"他站在石头上向墙里张望，见一女孩边走边将一朵杏花往头上戴。她抬眼见到了王子服，拈着花，笑着向里屋走去。王子服仔细一看，正是上元节在路上遇见的那个女孩。

　　王子服想，这墙内可能就是姨妈家，可他和这位姨妈从来没有来往过，生怕弄错了。正在心神不定之时，他看见那个女孩在门里露出半边脸来偷看他，似乎很惊讶他怎么一直站在这里。

　　就在这时，一位老妇人拄着拐杖走出来，问王子服："你是哪儿的小伙子？听说站了很久了，打算干什么呢？"王子服连忙回答："我是来探望姨妈的。"老妇人问他姨妈叫什么名字，可他却说不上来。

　　老妇人笑着让王子服进屋去吃点饭，住上一夜，明天回去后打听明白了再来找。王子服正饿着肚子呢，想到还可以接近那个女孩，自然高兴。他跟着老妇人走了进去，只见门里到处是花，豆棚花架，非常美丽。

　　进屋后，但见雪白的墙壁像镜子一样明亮，窗外的海棠连枝带花探进屋来。王子服刚坐下，就看到有人好像在窗外偷看他。老妇人唤婢女小荣赶紧准备饭菜。

　　老妇人与王子服聊起家常，听他说了自己的家世后，问道："那
你外祖父家是姓吴吗？"王子服说："是的。"老妇人惊讶地说："那
你就是我的外甥啊！你母亲是我妹妹呢。我出嫁后和妹妹家来往少
了，你长这么大都还没见过呢。"

　　王子服说："我这次就是专门来看姨妈的，可来时忘了问母亲姨妈家姓什么了。"老妇人说："我夫家姓秦，我自己没生孩子，但有个女儿，是丈夫外房生的，她母亲改嫁后留给我抚养。人倒也不迟钝，只是少教育，爱嬉笑，不知忧愁。待会儿，让她来认认你。"

　　不多时，小荣送来了饭菜。老妇人殷勤地让他多吃点。吃完后，老妇人吩咐小荣："去叫宁姑来！"小荣应声而去。不久，听得门外隐隐约约传来笑声。

　　老妇人说："婴宁，来见下你的姨表兄！"门外笑声不停。小荣把婴宁推进屋来，她还是掩着嘴笑个不止。老妇人瞪她一眼说："有客人在，还嘻嘻哈哈的，成什么样子！"婴宁这才忍住笑站好了。

　　王子服问："姨妈，表妹多大了？"老妇人耳朵有点背，没听清楚，王子服又问了一遍。这下，婴宁又笑得弯下腰去。老妇人对王子服说："我对她少调教，你看，都已经十六岁了，还傻呆呆得像个小孩子。"

　　老妇人问王子服多大了，听说是十七岁，还没有定亲，便说："婴宁也还没有婆家，你们两个倒是很般配的呢！"王子服没有说话，只是两眼盯着婴宁。小荣小声地对婴宁说："他两眼又发光了。"婴宁又大笑起来，推着小荣说："去看看桃花开了没有？"说着，用衣袖遮着嘴退出门去。到了门外，她放声大笑起来。

　　第二天，王子服起床后，来到屋后的花园。穿过花丛时，他听到树上有声响，抬头一看，原来是婴宁坐在树上。她看见王子服，狂笑着几乎要掉下去。王子服赶紧说："别这样，要摔下来啦！"婴宁一边下来一边笑着，快要落地时，真的失手掉了下来，笑声这才停住。

　　王子服拿出衣袖里的梅花给她看。婴宁说："都已经枯萎了，还留着干吗？你要是喜欢园子里的花，我让老仆人折上一大捆送你。"王子服说起上元节以来对她的思慕之情："我不是爱花，是爱拿着花的人。"

　　婴宁问爱花与爱拿着花的人有什么不同。王子服说："我说的是爱情。"婴宁低着头想了老半天，问："爱情是什么？"王子服说："那是夫妻之爱。"刚说到这里，小荣来了，王子服慌忙溜走了。

　　大家回到屋里。老妇人问婴宁，刚才去哪里了。婴宁回答说，在园子里跟表兄说话。老妇人又问，说了些什么。婴宁说："表兄和我说夫妻之爱。"王子服又窘又羞，急忙用眼瞪她，幸亏老妇人没听见。

　　这时，有人牵了驴子来找王子服。原来他母亲见他没有回家，便去向吴生打听。吴生想起自己先前对王子服编造的谎话，连忙让王家人往南山方向去寻找，找了好些村子，最后找到了这里。

　　王子服见家人找上门来，便去禀见老妇人，并且请求带着婴宁一块回去。老妇人很高兴，说："婴宁能去认认阿姨，真是太好不过了。"她唤来正笑着的婴宁，对她说道："表兄要带你去阿姨家，到了那里不要急着回来，多学点诗书礼仪，以后麻烦阿姨帮你找个好女婿。"

　　王子服带着婴宁回到家里，母亲看到女孩后非常惊讶。王子服跟母亲说，是秦家姨妈让他把表妹带来的。母亲惊疑地说："我有一个姐姐嫁到姓秦的家里，可她已经去世很久了。听说姐夫曾被狐狸迷住，与狐狸生了个女儿。姐夫去世后，狐狸就带着女儿走了，早已不知去向，莫非那个女儿就是婴宁？"

　　吴生听说婴宁到了，赶来相见。婴宁在屋里大笑不止。王母催促她出来，她对着墙壁忍了好一会儿，才走出屋子，可刚行了个礼，又马上回屋放声大笑起来，家中女眷也都被她惹得笑出声来。

　　吴生想，王子服既然找到了心仪的女孩，那就干脆去帮他提亲吧。可是，当他找到山村时，发现那里花木零落，村舍全无。吴生回忆姑母埋葬的地方就在这一带，但坟墓已经湮没，无法辨认了。

　　王母让婴宁与自己住在一起。婴宁很乖顺，天一亮就向她请安问好，做起针线活来，也灵巧得没人比得上她。只是依旧很爱笑，怎么禁都禁不住。可是，她笑起来很好看，也很逗人乐，所以大家都很喜欢她。

　　王子服一心要娶婴宁为妻，王母便为他俩举办了婚礼。婚后，婴宁仍改不了爱笑的习性，不过，每当母亲愁闷生气的时候，只要婴宁来到跟前笑一笑就消气了；奴婢中谁犯了过错，只要让婴宁去求个情，王母也就不加责罚了。

　　只是婴宁爱花成癖，遍寻良种。不久，院子里前前后后都种满了各种花木。庭院后面有一架木香，紧挨西邻，婴宁时常爬上去玩。母亲每次见她爬上爬下，总要训斥她，但她却始终不改。

　　一天，西邻家的儿子看见婴宁，被她的美丽所倾倒。婴宁见他呆呆地看着自己就笑了起来。西邻家的儿子以为婴宁对自己有意，又见她爬下树去，站在墙底，以为是指约会的地方，高兴极了。

　　夜深时，西邻家的儿子来到墙下，仿佛看见婴宁立于树下，一把
抱住，可仔细一看，却只是一根枯木，上面还有一只大蝎子，当下晕
死。西邻家人到县衙状告王子服家藏妖邪，但县令深知王子服是个正
派书生，认为实属诬告。

　　王母教训婴宁说："你看，是不是差点惹出大祸了？"婴宁听后，竟然从此不再笑了。一天晚上，婴宁流着眼泪告诉王子服："我本是狐狸生的，是鬼母将我抚养成人。鬼母如今孤坟独冢，非常可怜，我想将她与父亲合葬在一起。"王子服答应了下来。

　　过些天，夫妻俩带了人马去了山里，将老妇人与她丈夫葬在了一起。这天夜里，王子服梦见秦家姨妈前来道谢。他醒来后对婴宁说了。婴宁也说见到她了，还向她问起同样是狐狸的小荣来，她告诉说小荣已经出嫁了。

　　一年过后，婴宁生了个儿子，这男孩跟她一样，抱在怀里，见了人就笑。一家人欢欢喜喜，其乐融融。

沈启鹏

国画家，1946年生于江苏南通，先后在江苏省国画院和南通书画院从事专业创作，作品多次入选全国美展和国际美展并获奖，多部作品被中国美术馆及地方美术馆收藏，曾获"97中国画坛百杰"和"江苏省优秀中青年艺术工作者"称号，曾任九届、十届全国人大代表、九届民盟中央委员、南通大学副校长等职务。

简 平

本名胡建平，1958年生于上海，新闻记者，高级编辑，影视剧制片人。儿童文学作品获有冰心童书奖、陈伯吹儿童文学奖、全国优秀少儿图书奖、中国（上海）首届国际童书奖中国原创童书评委会大奖和读者大奖等。影视剧作品获有中国电影华表奖、中国电视剧飞天奖、中国电视文艺星光奖等。

图书在版编目（CIP）数据

婴宁／沈启鹏绘；简平文．— 北京：清华大学出版社，2017
（中国名家经典原创图画书）
ISBN 978-7-302-46657-4

Ⅰ．①婴… Ⅱ．①沈… ②简… Ⅲ．①儿童故事－图画故事－中国－当代
Ⅳ．① I287.8

中国版本图书馆 CIP 数据核字（2017）第 036006 号

责任编辑：苗建强
装帧设计：王圆婷
责任校对：谢京南
责任印制：王静怡

出版发行：清华大学出版社
　　网　　　　址：http://www.tup.com.cn，http://www.wqbook.com
　　地　　　　址：北京清华大学学研大厦 A 座　　邮　　编：100084
　　社　总　机：010-62770175　　邮　购：010-62786544
　　投稿与读者服务：010-62776969，c-service@tup.tsinghua.edu.cn
　　质 量 反 馈：010-62772015，zhiliang@tup.tsinghua.edu.cn
印 装 者：北京尚唐印刷包装有限公司
经　　销：全国新华书店
开　　本：210mm×285mm　　印　张：3
版　　次：2017 年 3 月第 1 版　　印　次：2017 年 3 月第 1 次印刷
定　　价：35.00 元

产品编号：071852-01